ELI

DICCIONARIO
ILUSTRADO
Español

D1452037

EUROPEAN LANGUAGE INSTITUTE

el árbol

la niña

el bolso

la fruta

la mariposa

el globo terráqueo

Este diccionario ilustrado abarca una amplia temática y suministra un exhaustivo vocabulario básico que comprende también preposiciones, verbos y adjetivos.

Les 35 ilustraciones que lo componen presentan temas familiares y variados, con los que se estimula el interés de los niños para que hojeen el diccionario y elijan los que más les interesen. Gracias a la estrecha relación entre palabra e imagen, los niños aprenden a asociar los términos con los objetos de manera automática e inmediata.

Para facilitar la labor de consulta de los niños, todas las palabras que contiene este diccionario aparecen al final del mismo ordenadas alfabéticamente y, junto a ellas, la indicación precisa del tema en el que aparecen.

Es un diccionario ameno y facil de consultar pero, sobretodo, es un instrumento indispensable para aprender el vocabulario básico del idioma español gracias a la inmediatez, eficacia y vivacidad de las imágenes.

© 1996 - **ELI** s.r.l. - European Language Institute
P.O. Box 6 - Recanati - Italia

Por: Joy Olivier

Ilustraciones de Alfredo Brasioli

Versión española: Silvia Cortés Ramírez

Impreso en Italia por Tecnostampa - Loreto (AN)

ISBN **88 - 8148 - 092 - 1**

INDICE TEMATICO

el caballo

los calcetines

la motocicleta

el niño

la tarta

la corbata

la zanahoria

el mono

la furgoneta

la chaqueta

el despertador

la lámpara

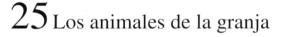

el pez

los zapatos

la tienda de campaña

la sandía

la llave

el gallo

La casa antes y despué

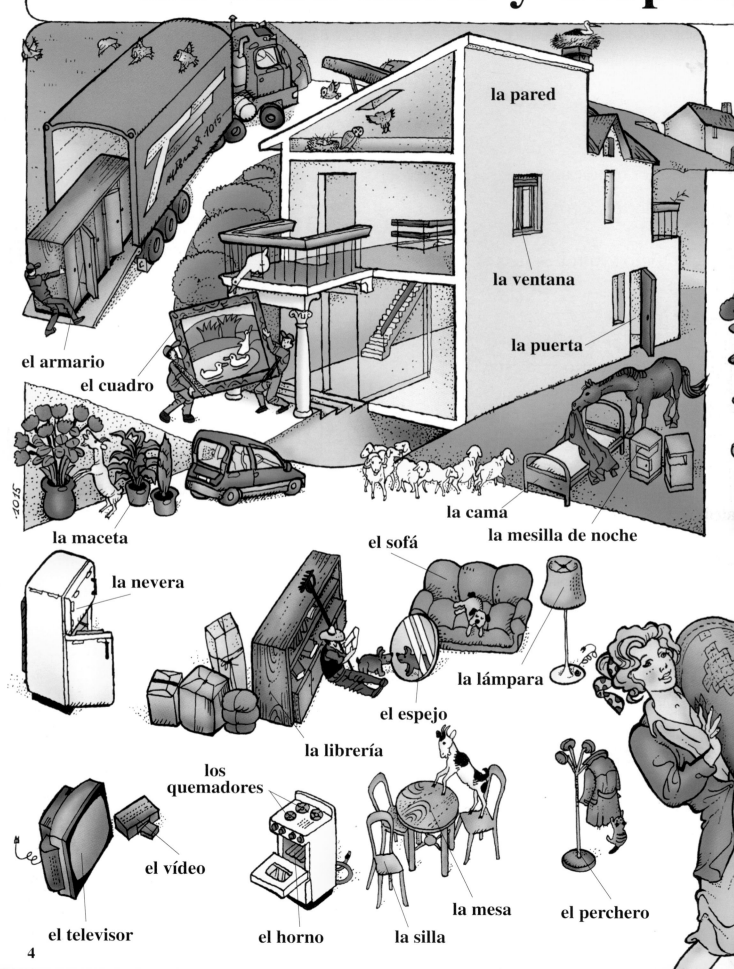

la pared

la ventana

la puerta

el armario

el cuadro

la maceta

la cama

la mesilla de noche

el sofá

la nevera

la lámpara

el espejo

la librería

los quemadores

el vídeo

el televisor

el horno

la silla

la mesa

el perchero

el traslado

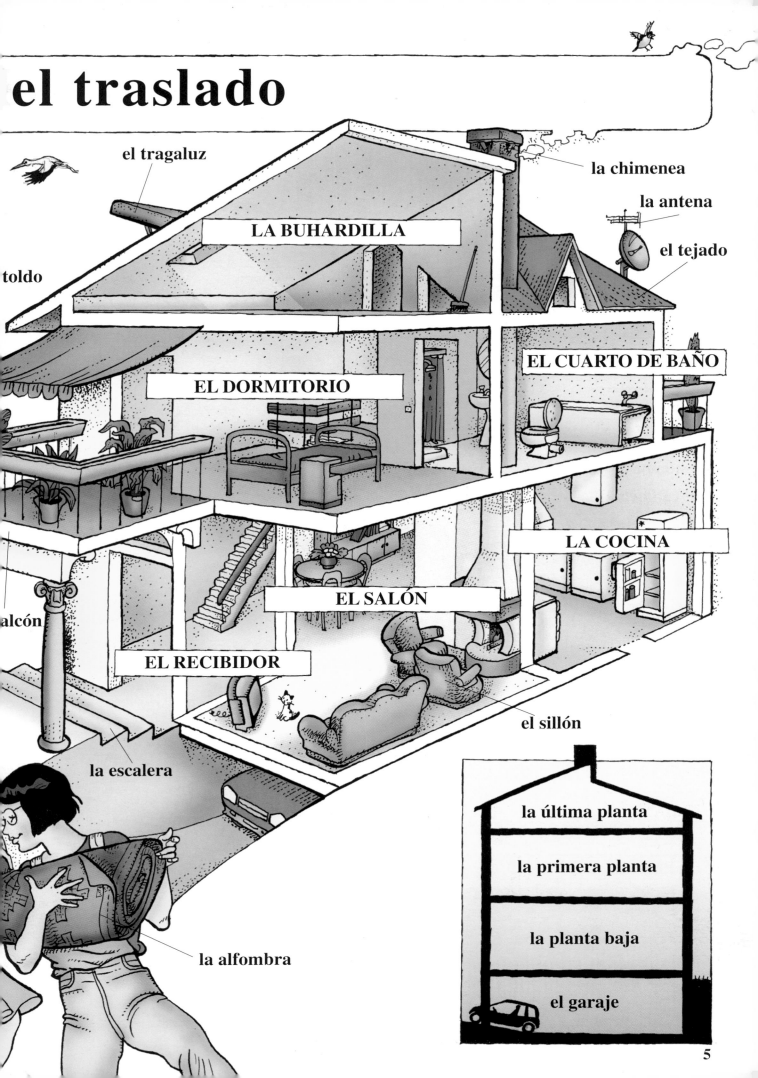

el tragaluz

la chimenea

la antena

LA BUHARDILLA

el tejado

toldo

EL CUARTO DE BAÑO

EL DORMITORIO

LA COCINA

EL SALÓN

alcón

EL RECIBIDOR

el sillón

la escalera

la alfombra

la última planta

la primera planta

la planta baja

el garaje

En el dormitorio

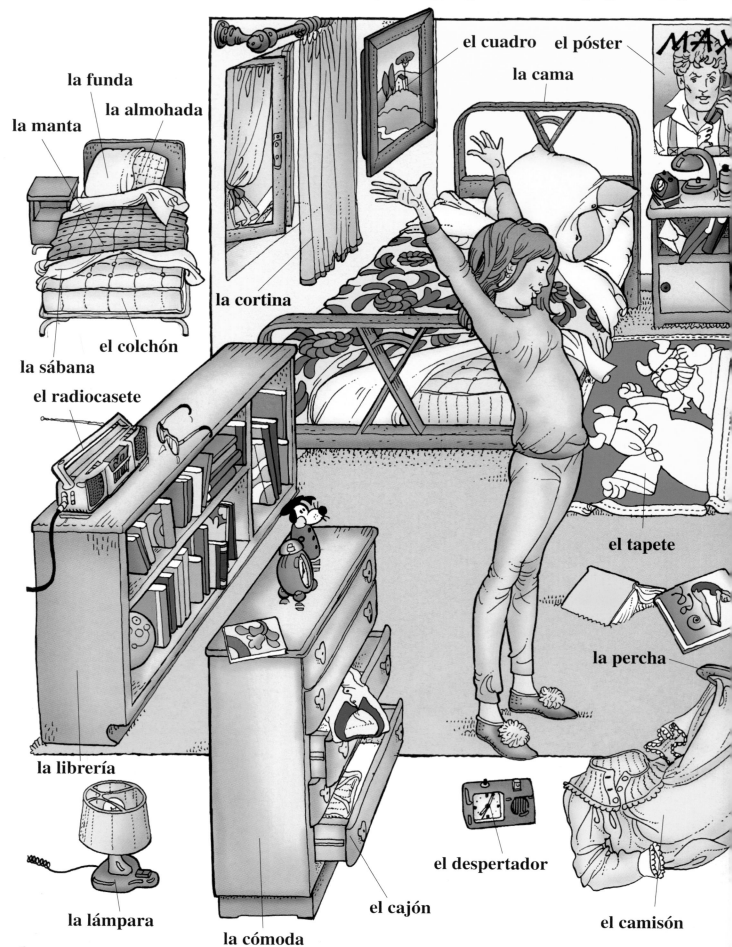

la funda

la almohada

la manta

el cuadro   el póster

la cama

la cortina

el colchón

la sábana

el radiocasete

el tapete

la percha

la librería

el despertador

la lámpara

el cajón

el camisón

la cómoda

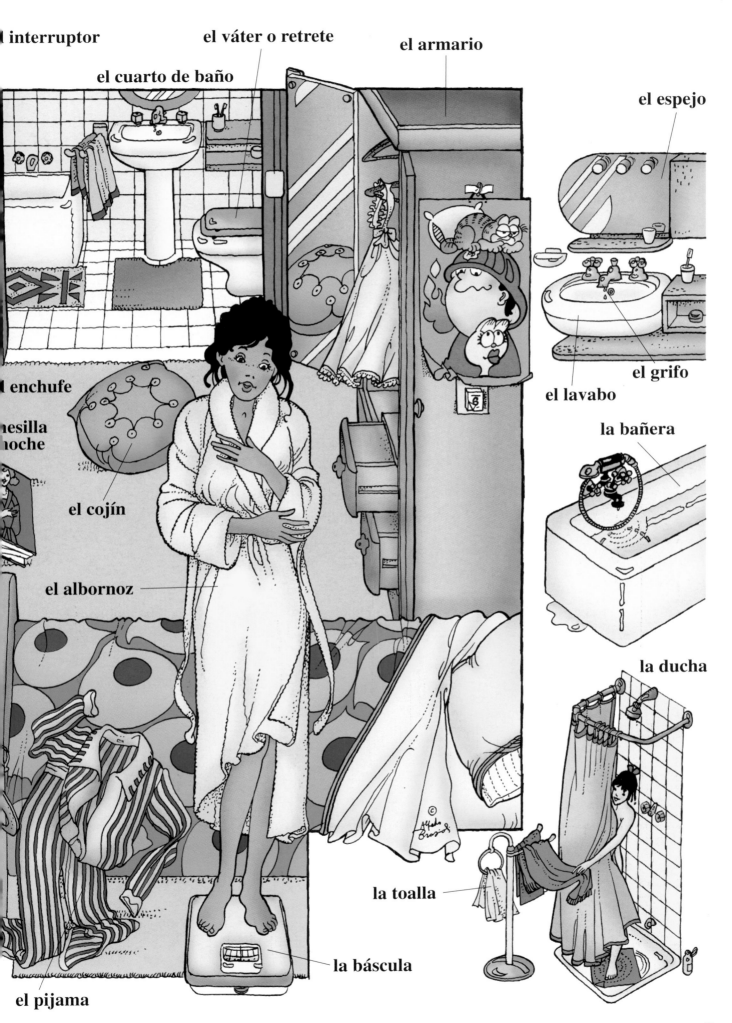

interruptor

el cuarto de baño

el váter o retrete

el armario

el espejo

el enchufe

esilla
oche

el cojín

el grifo

el lavabo

la bañera

el albornoz

la ducha

el pijama

la báscula

la toalla

7

En la cocina

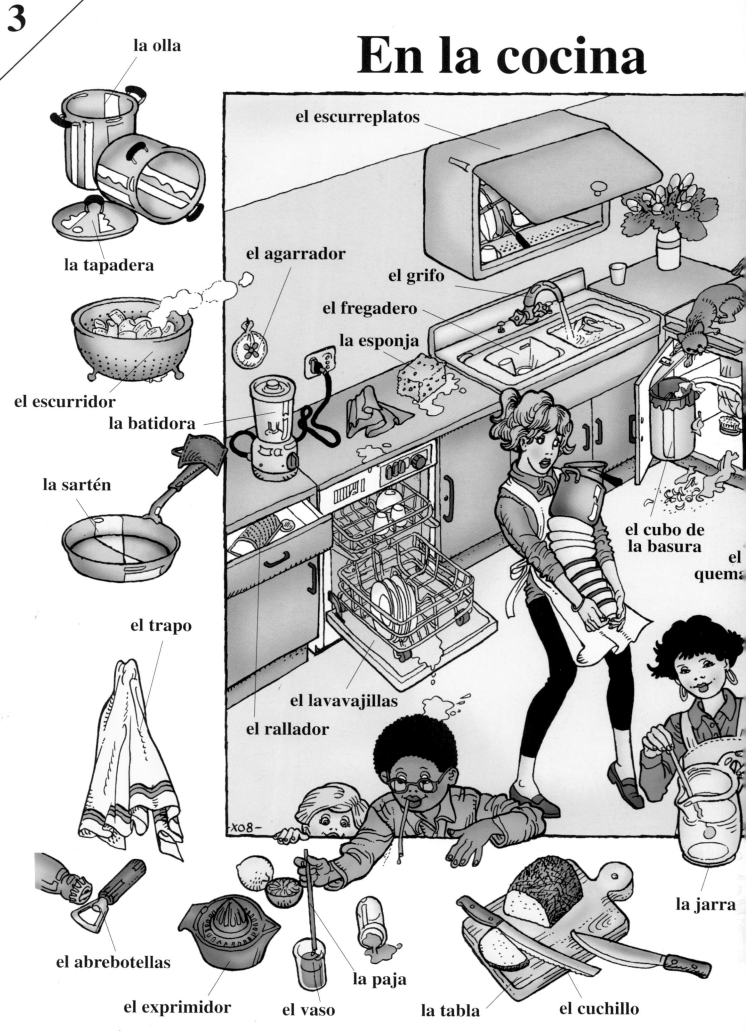

la olla

la tapadera

el escurridor

la batidora

la sartén

el trapo

el abrebotellas

el exprimidor

el agarrador

el escurreplatos

el grifo

el fregadero

la esponja

el lavavajillas

el rallador

el vaso

la paja

la tabla

el cubo de la basura

el quema

el cuchillo

la jarra

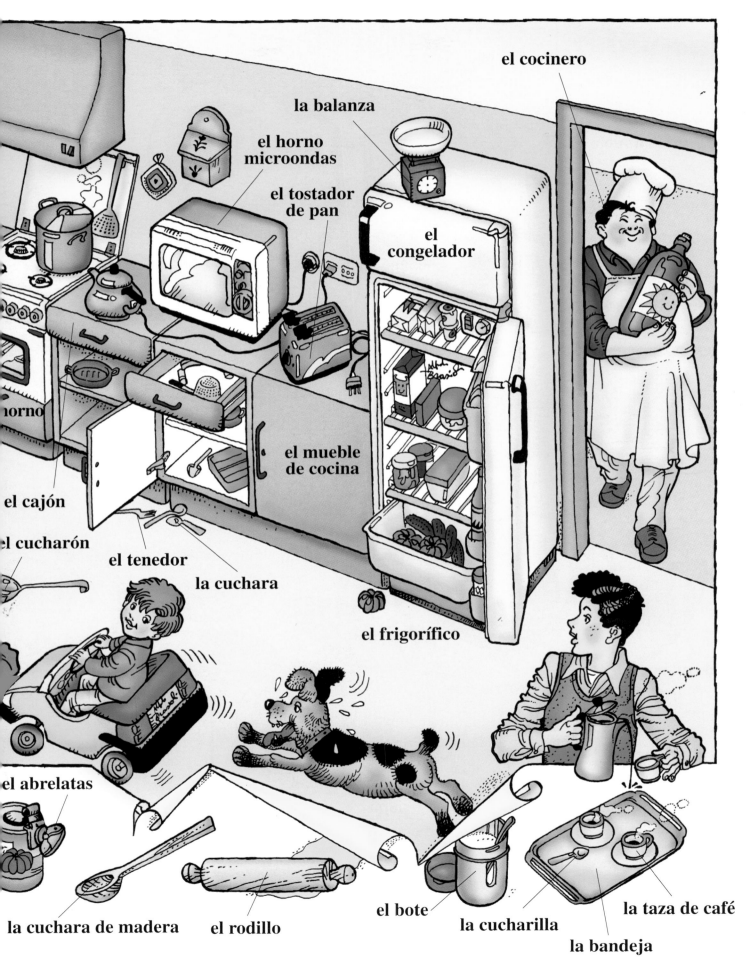

el cocinero

la balanza

el horno microondas

el tostador de pan

el congelador

horno

el mueble de cocina

el cajón

el cucharón

el tenedor

la cuchara

el frigorífico

el abrelatas

la cuchara de madera

el rodillo

el bote

la cucharilla

la taza de café

la bandeja

9

La familia de Beatriz

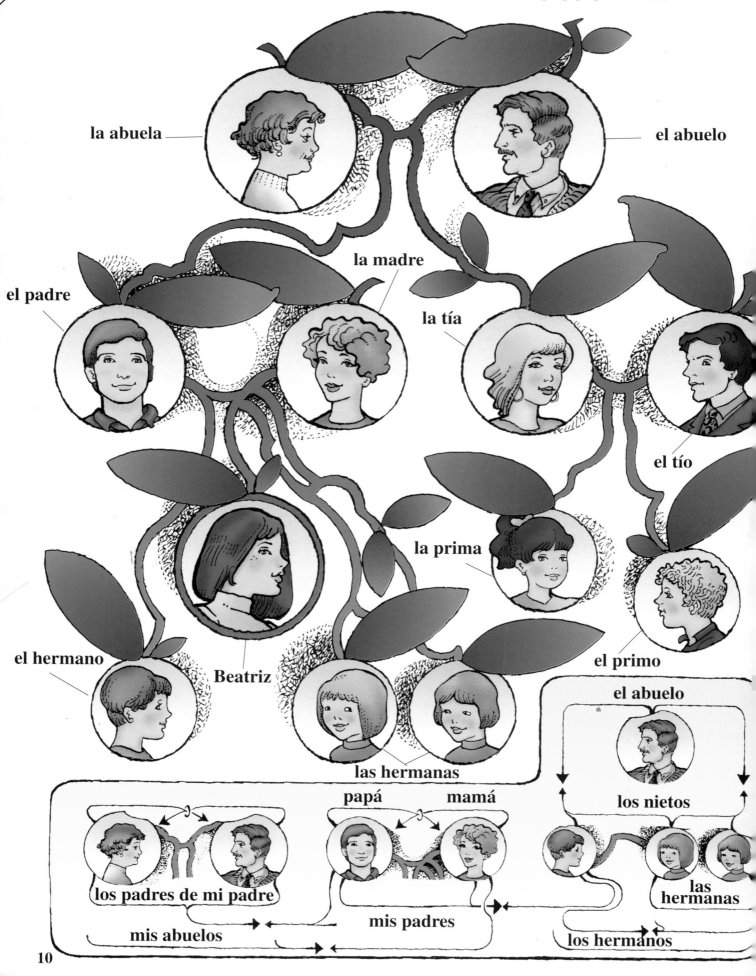

la abuela

el abuelo

la madre

el padre

la tía

el tío

la prima

el primo

el hermano

Beatriz

las hermanas

el abuelo

los nietos

las hermanas

papá   mamá

los padres de mi padre

mis padres

los hermanos

mis abuelos

el niño

la niña

el chico

la chica

el hombre

la mujer

los novios

la boda

el nacimiento

el cumpleaños

La ciudad en invierno

la vía

el supermercado

el cine

el banco

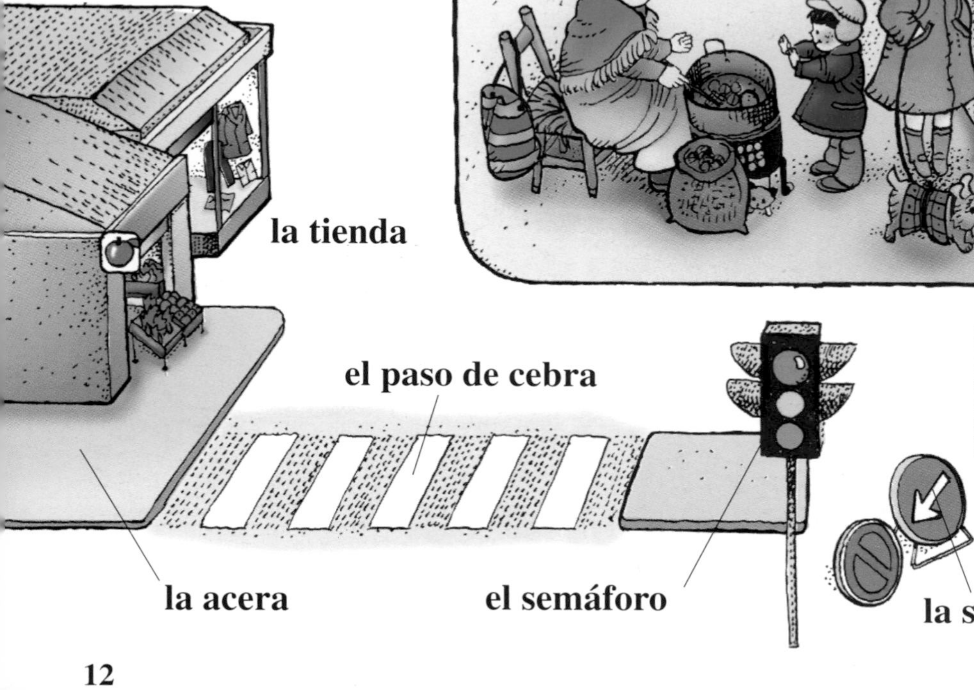

la tienda

el paso de cebra

la acera

el semáforo

la señal de tráfico

el restaurante

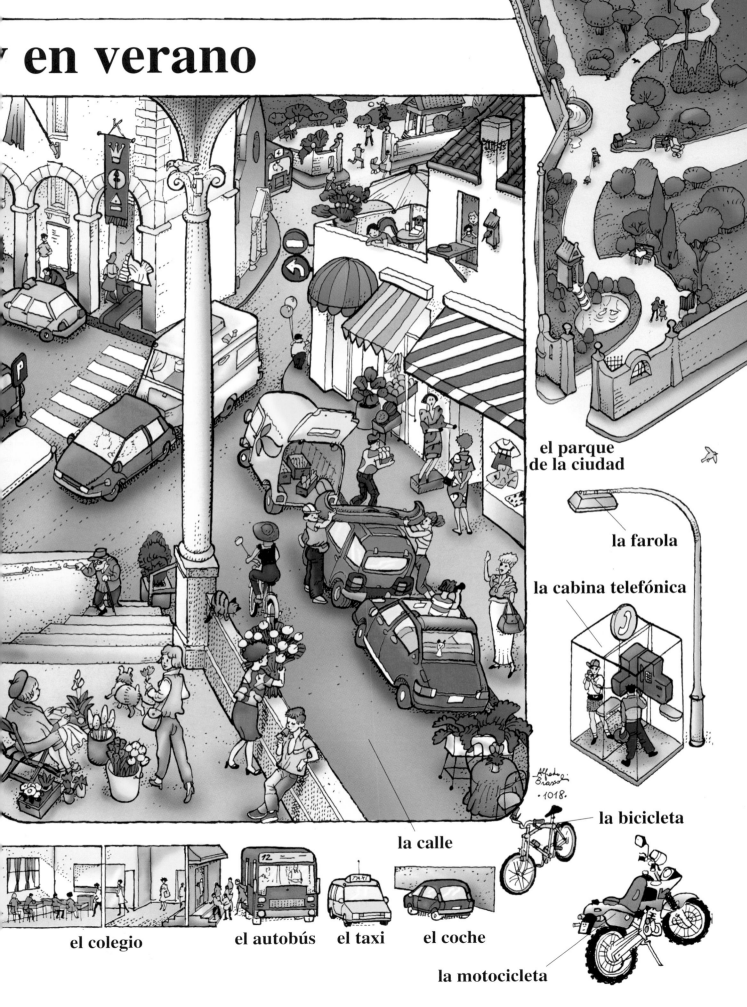

en verano

el parque
de la ciudad

la farola

la cabina telefónica

la calle

la bicicleta

el colegio

el autobús

el taxi

el coche

la motocicleta

En el colegio

el profesor

el alumno

la pizarra

el globo terráqueo

la tiza

el borrador

la papelera

el libro

el bote de los lápices

la mesa del profesor

el cuaderno

los rotuladores

el portaminas

las tijeras

el estuche

la plum

el pegamento

el marcador fluorescente

el bolígrafo

el atlas geográfico

el mapa

la carpeta

la hoja de papel

la regla

el compás

el pincel

las pinturas

la mochila

el cartabón

la goma

el lápiz

el sacapuntas

el pupitre

la paleta

el dibujo

las témperas

En la biblioteca

la estantería

el libro

el autor

el título

el pie de la ilustración

la portada

el editor

el marcador de página

la ilustración

el texto

las páginas

la revista

el periódico

el atlas

la bibliotecaria

la enciclopedia

...chero   la ficha   el diccionario

sala de lectura   libros de consulta   libros de préstamo

En la oficina

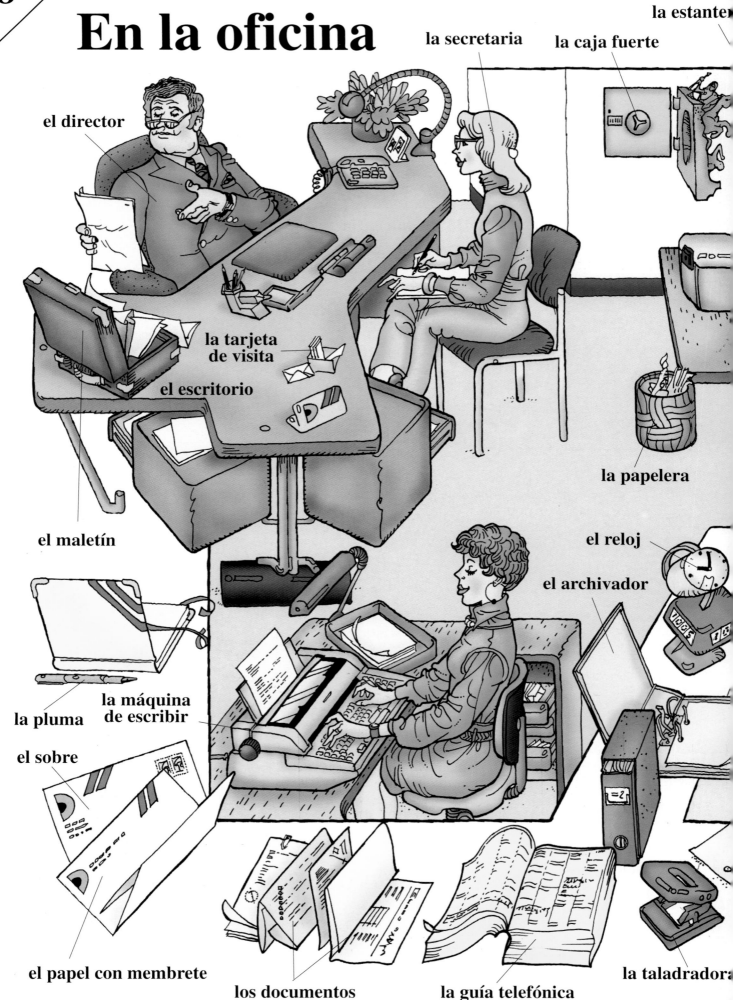

la secretaria

la caja fuerte

la estante[ría]

el director

la tarjeta
de visita

el escritorio

la papelera

el maletín

el reloj

el archivador

la pluma

la máquina
de escribir

el sobre

el papel con membrete

los documentos

la guía telefónica

la taladradora

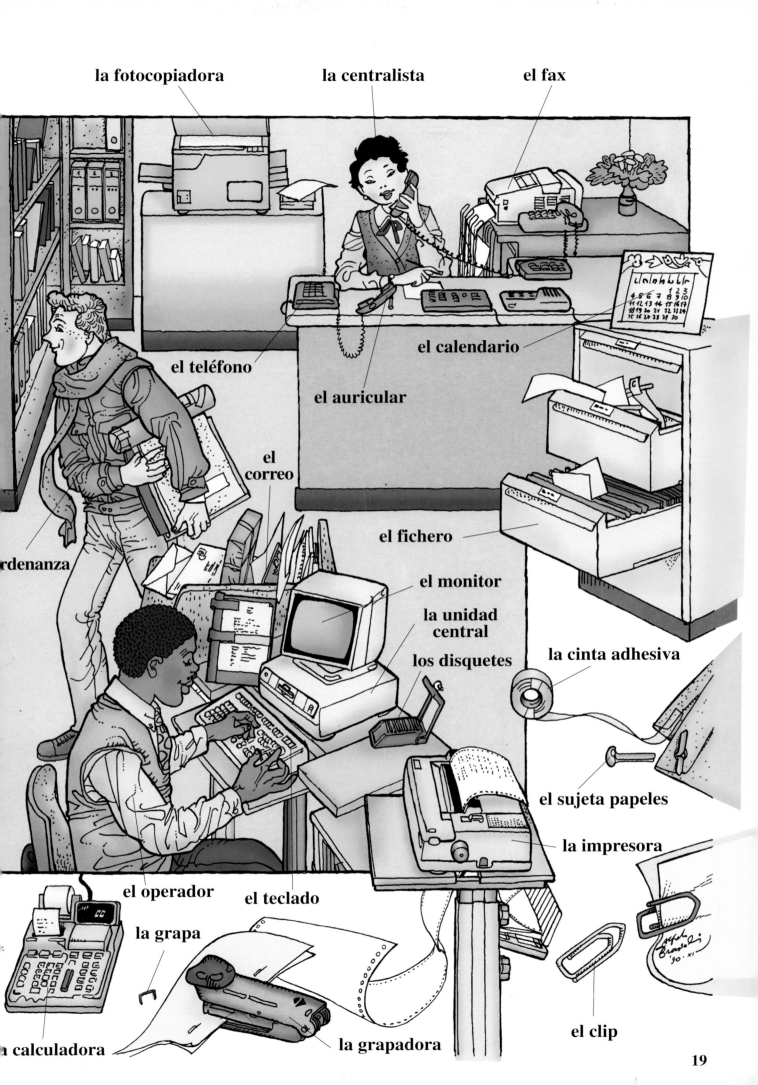

la fotocopiadora

la centralista

el fax

el teléfono

el calendario

el auricular

el correo

el fichero

...rdenanza

el monitor

la unidad central

los disquetes

la cinta adhesiva

el sujeta papeles

la impresora

el operador

el teclado

la grapa

el clip

...a calculadora

la grapadora

En el hotel

el restaurante

la llave

el registro

el llavero

el pasaporte

el recepcionista   la recep

el equipaje

el cuarto de baño

la habitación individual

la habitación doble

el ascensor

el bar

la cliente

la camarera
el camarero

el sofá

el taburete

la alfombra

el botones

la entrada

el portero

el sillón

21

Las tiendas

el centro comercial

el concesionario de automóviles

la floristería

la farmacia

la juguetería

la pastelería

la perfumerí

la tienda de artículos musicales

la tienda de artículos fotográficos

la joyería

carne

pescado

fruta y verdura

el supermercado

la tienda de electrodomésticos

la tienda de deportes

la lavandería

el quiosco

la tienda de ropa

la zapatería

la agencia de viajes

la librería

la papelería

la tienda de menaje y hogar

23

La tienda de ropa

el letrero

el escaparate

el maniquí

la bolsa
de la
compra

el limpiacristales

la cajera

la caja

la falda

el vestido

la camisa

los calcetines

el chaleco

los zapatos

la escaparatista

el jersey

el abrigo

el nostrador

la cliente

el cinturón

las medias

la dependienta

la chaqueta

el bolso

el sombrero

las botas

los pantalones

la corbata

25

La ropa de verano e invierno

la gorra

las gafas de sol

las bermudas

el vestido

el bañador
de señora

el bañador
de caballero

la camiseta

los zuecos

las
sandalias

los zapatos

la camisa

los vaqueros

los patines

la falda

el jersey

el anorak

el abrigo

el gorro
de lana

la bufanda

el paraguas

las botas

los guantes

La tienda de fruta y verdura

la sandía

la uva

el letrero

FRESCO DE HOJ

el tendero

el indicador del precio

la dependienta

la manzana

el melón

el limón

la cereza

la naranja

el plátano

la piña

la fresa

la ciruela

el higo

el melocotón

la pera

la lechuga

la berenjena

la zanahoria

FRESCO DE HOJ

la col

la persiana metálica

la cebolla

hampiñón

la caja

el pimiento

el tomate

la patata

la bolsa

En el restaurante

la sopa

la carne

el pescado

el pollo

los huevos

la ensalada

las verduras

los tomates

el queso

las patatas fritas

la tarta

el helado

la fruta

el café

la leche

el agua

la cerv

el vino

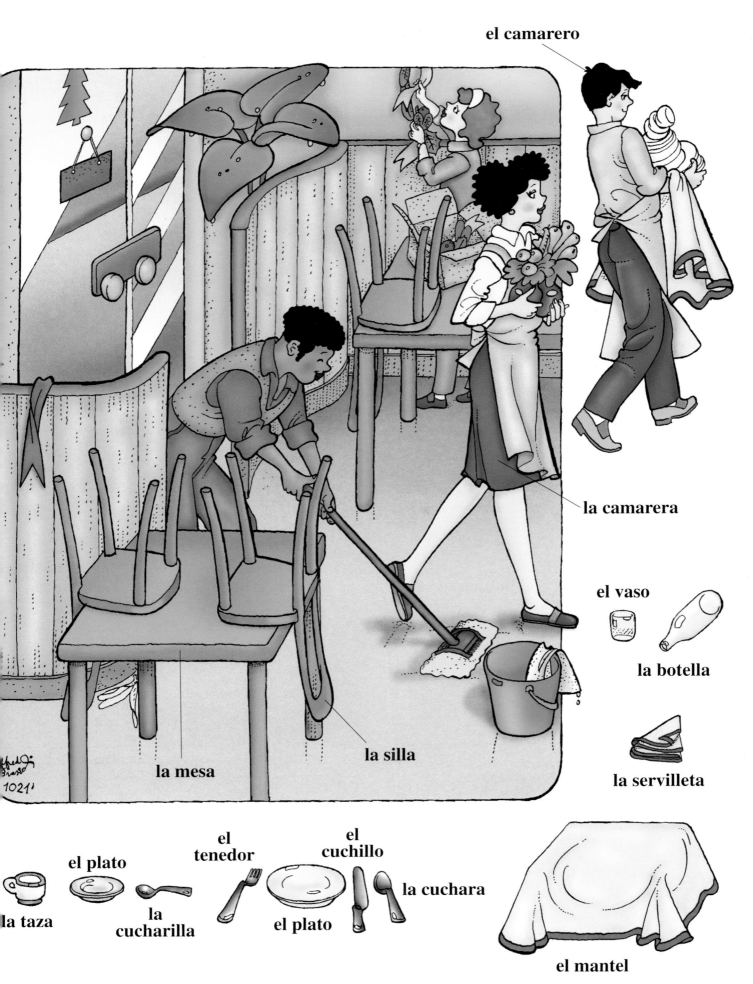

el camarero

la camarera

el vaso

la botella

la servilleta

la silla

la mesa

el tenedor

el cuchillo

el plato

la cuchara

la taza

la cucharilla

el plato

el mantel

31

Oficios y profesiones

el agricultor

el albañil

el mecánico

la pintora

el barrendero

la obrera

el fontanero

la electricista

el empleado

la fotógrafa

el bombero

la modelo

el actor

la enfermera

el dentista

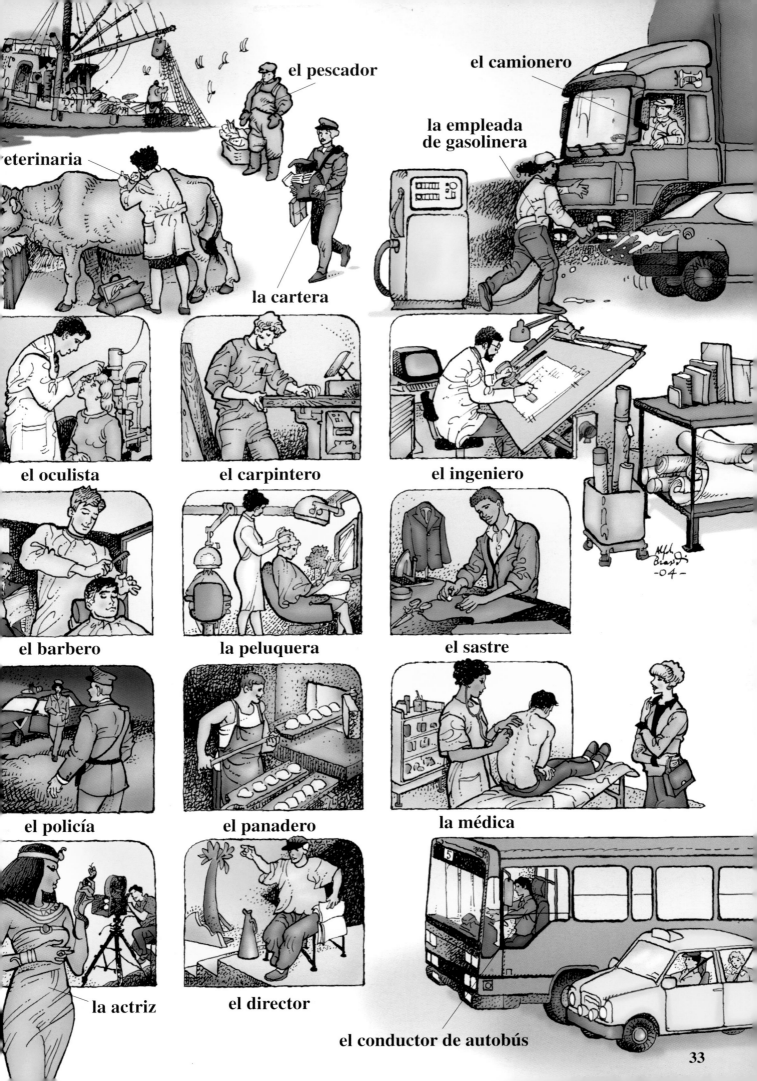

el pescador

el camionero

la empleada de gasolinera

veterinaria

la cartera

el oculista

el carpintero

el ingeniero

el barbero

la peluquera

el sastre

el policía

el panadero

la médica

la actriz

el director

el conductor de autobús

33

De viaje

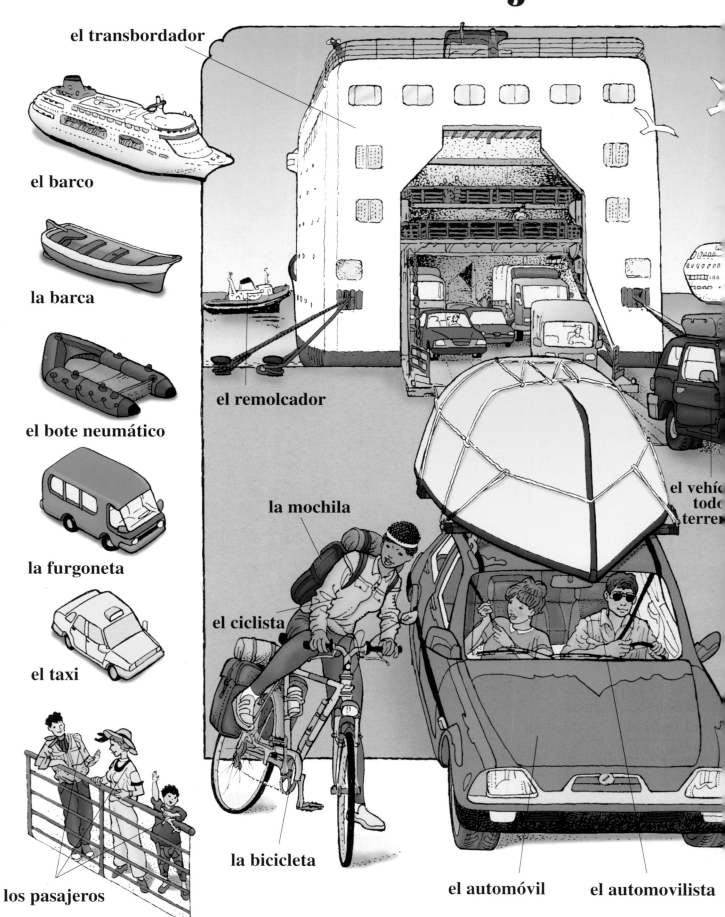

el transbordador

el barco

la barca

el bote neumático

la furgoneta

el taxi

los pasajeros

el remolcador

la mochila

el ciclista

la bicicleta

el vehículo todo terreno

el automóvil

el automovilista

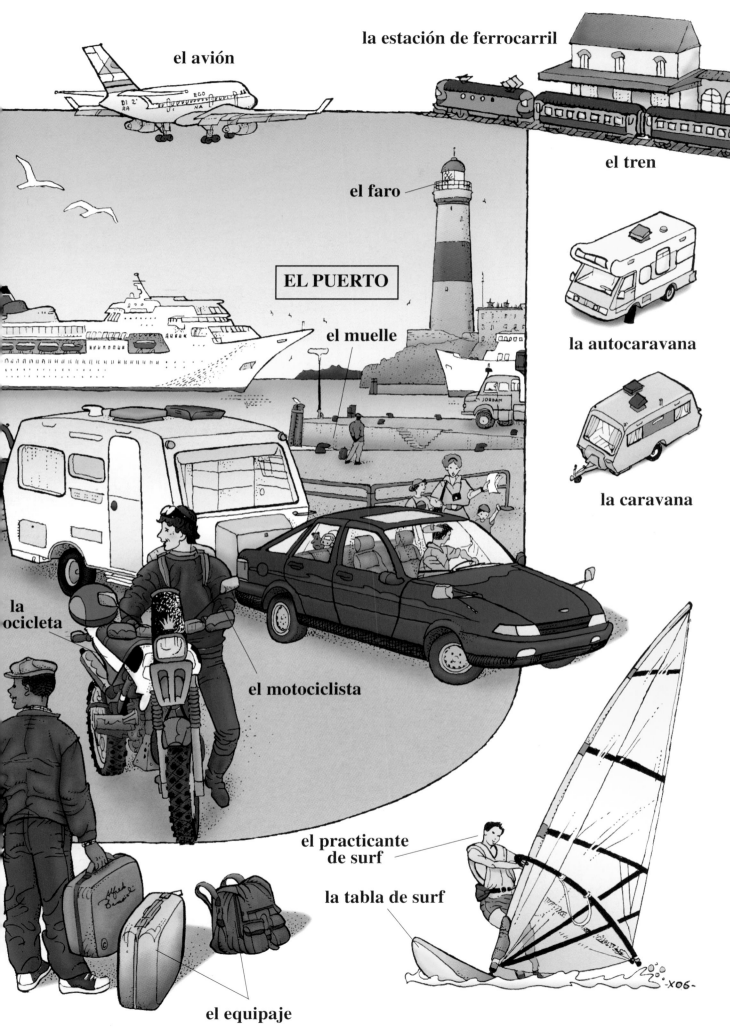

el avión

la estación de ferrocarril

el tren

el faro

EL PUERTO

el muelle

la autocaravana

la caravana

la
ocicleta

el motociclista

el practicante
de surf

la tabla de surf

el equipaje

35

El aeropuerto

el avión

el ala

la cola

el tren de aterrizaje

el piloto

la escalera de acceso

el aeropuerto

el aduanero

la maleta

la azafata

el pasajero

el pasaporte

el billete

a estación

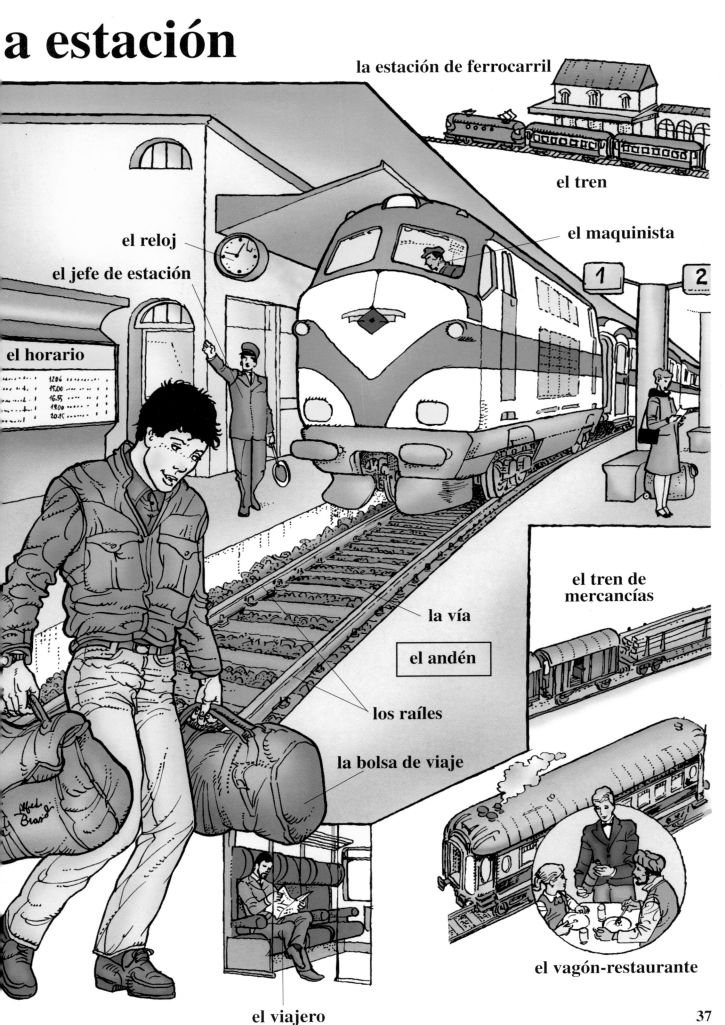

la estación de ferrocarril

el tren

el maquinista

el reloj

el jefe de estación

el horario

1206
15.00
16.55
19.00
20.15

la vía

el andén

los raíles

la bolsa de viaje

el tren de mercancías

el vagón-restaurante

el viajero

El cuerpo humano

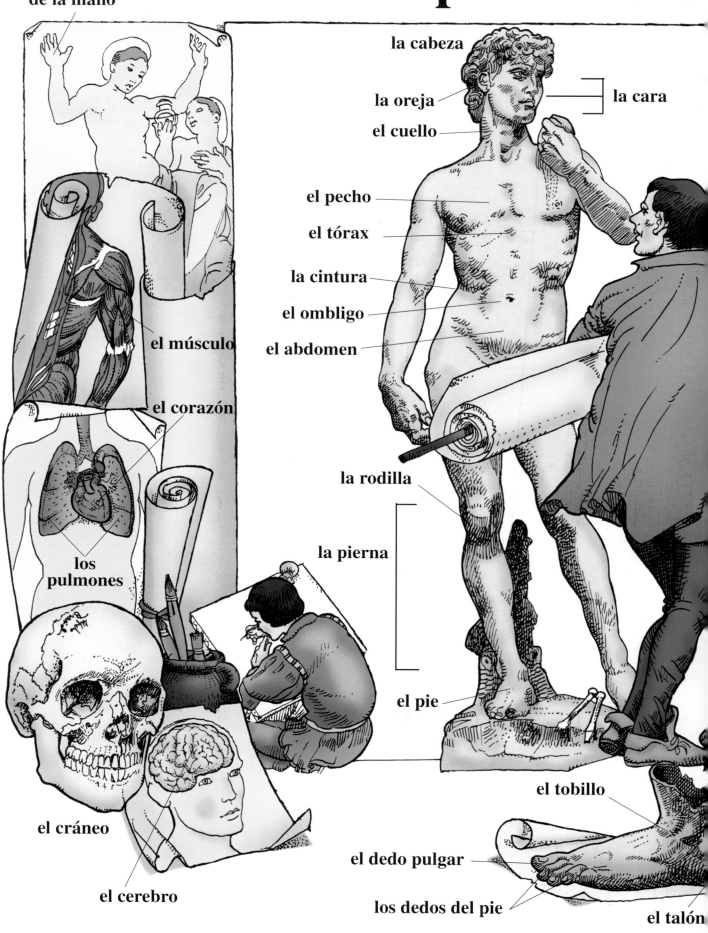

la palma de la mano

el músculo

el corazón

los pulmones

el cráneo

el cerebro

la cabeza

la oreja

el cuello

la cara

el pecho

el tórax

la cintura

el ombligo

el abdomen

la rodilla

la pierna

el pie

el tobillo

el dedo pulgar

los dedos del pie

el talón

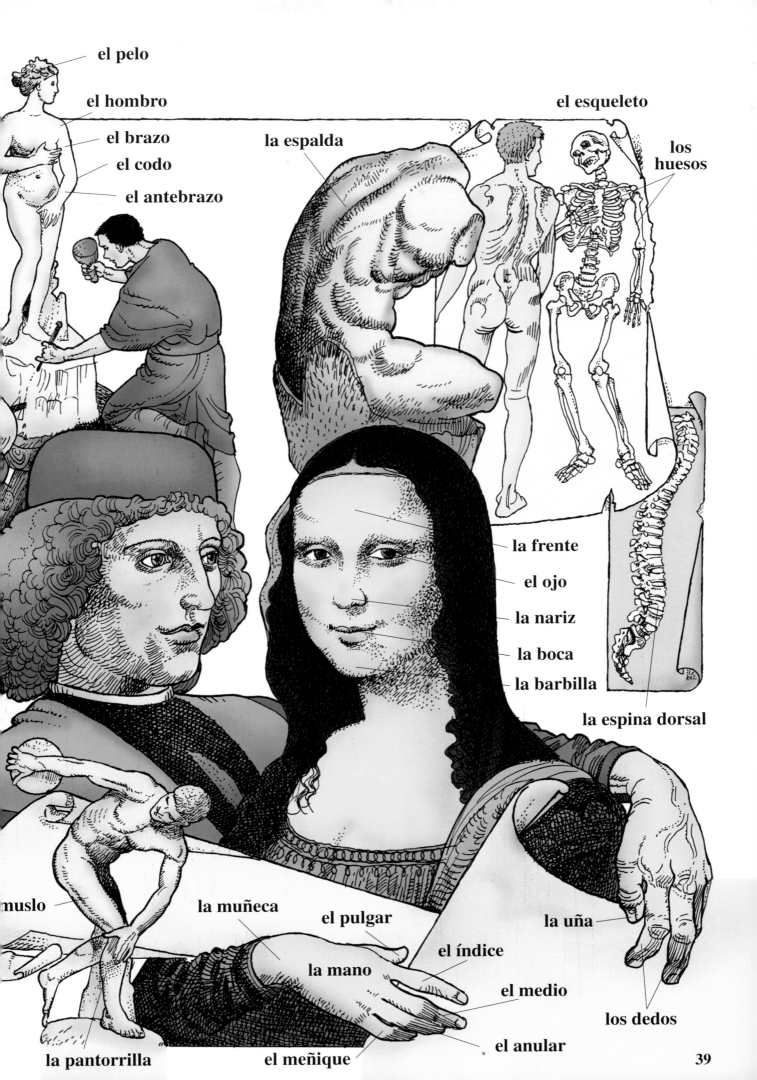

el pelo

el hombro

el brazo

el codo

el antebrazo

la espalda

el esqueleto

los huesos

la frente

el ojo

la nariz

la boca

la barbilla

la espina dorsal

nuslo

la muñeca

el pulgar

la uña

el índice

la mano

el medio

los dedos

el anular

la pantorrilla

el meñique

39

El deporte

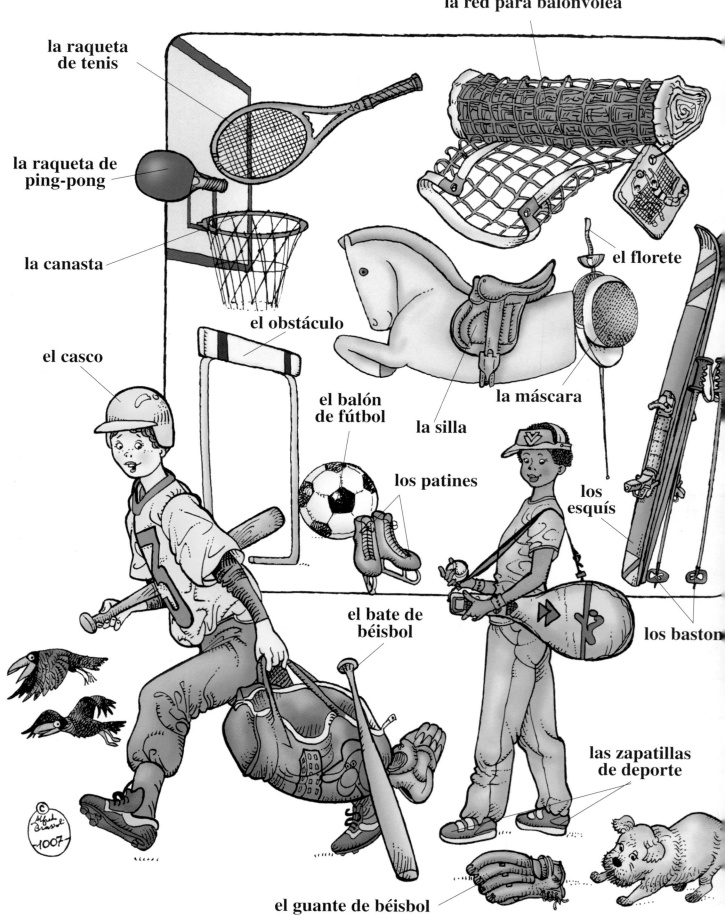

la red para balonvolea

la raqueta de tenis

la raqueta de ping-pong

la canasta

el obstáculo

el florete

el casco

el balón de fútbol

la máscara

la silla

los patines

los esquís

el bate de béisbol

los baston

las zapatillas de deporte

el guante de béisbol

el marcador

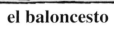

el baloncesto

el balonvolea

el fútbol

el patinaje artístico

el béisbol

el ping-pong

el tenis

la carrera de obstáculos

la equitación

la esgrima

el esquí

la carrera

En el gimnasio

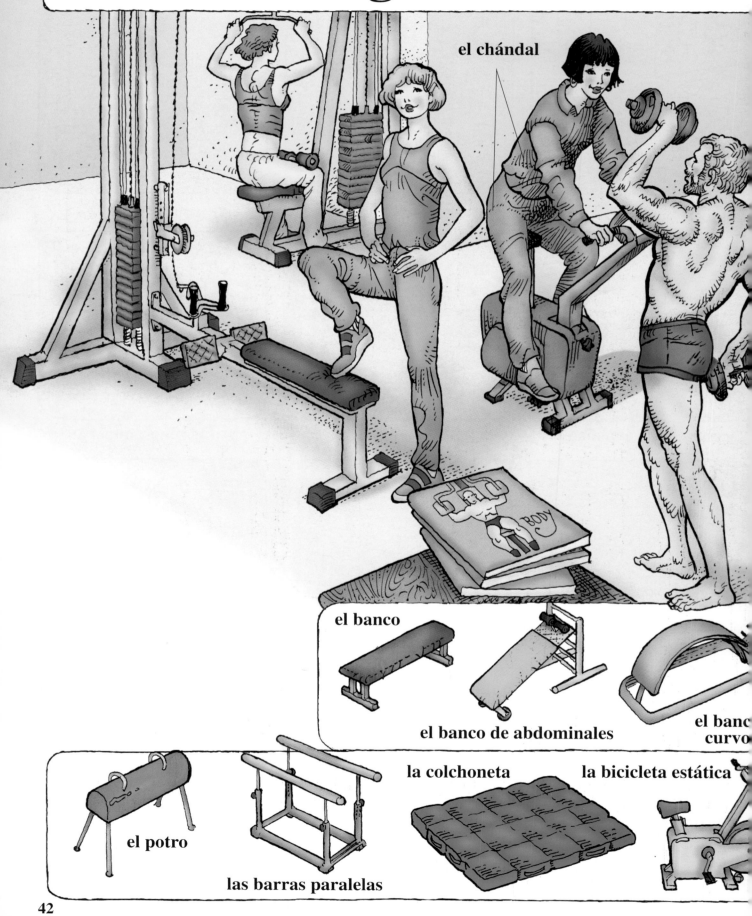

el chándal

el banco

el banco de abdominales

el banc curvo

el potro

las barras paralelas

la colchoneta

la bicicleta estática

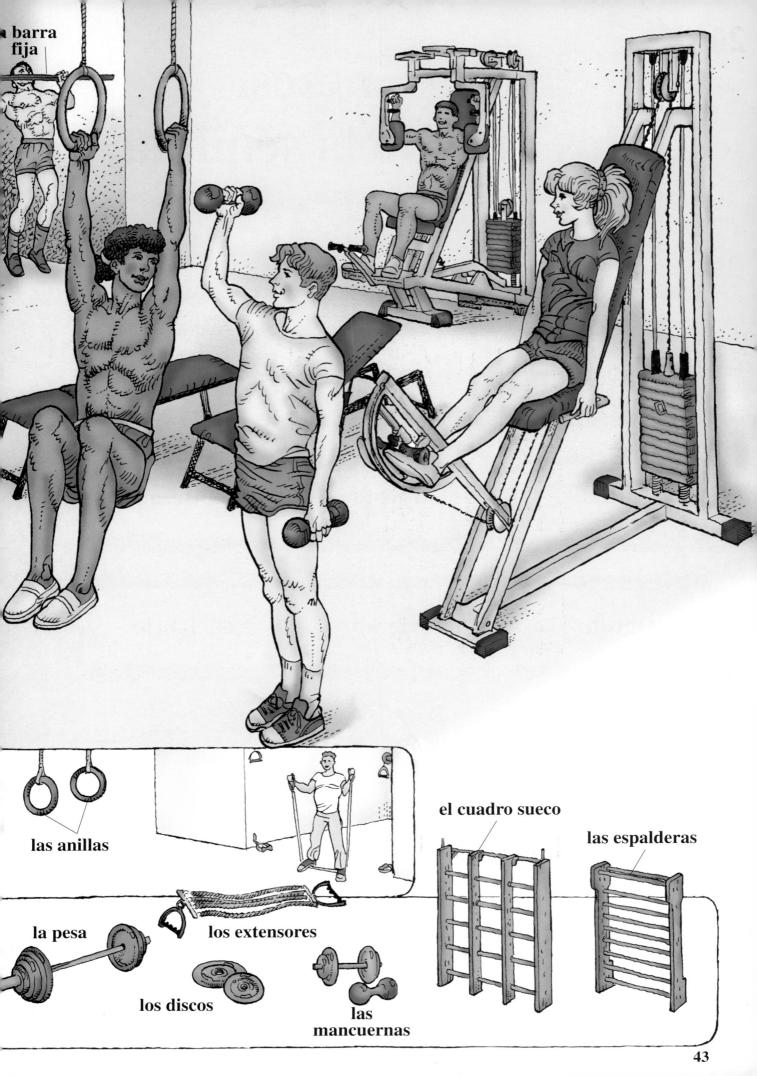

barra
fija

las anillas

el cuadro sueco

las espalderas

la pesa

los extensores

los discos

las mancuernas

Los meses, los días de la semana,

Enero **1**

Febrero **2**

Marzo **3**

Abril **4**

Mayo **5**

Junio **6**

Julio **7**

Agosto **8**

Septiembre **9**

Octubre **10**

Noviembre **11**

Diciembre **12**

Lunes

Martes

Miércoles

Jueves

Viernes

Sábado

Domingo

las estaciones, el tiempo atmosférico

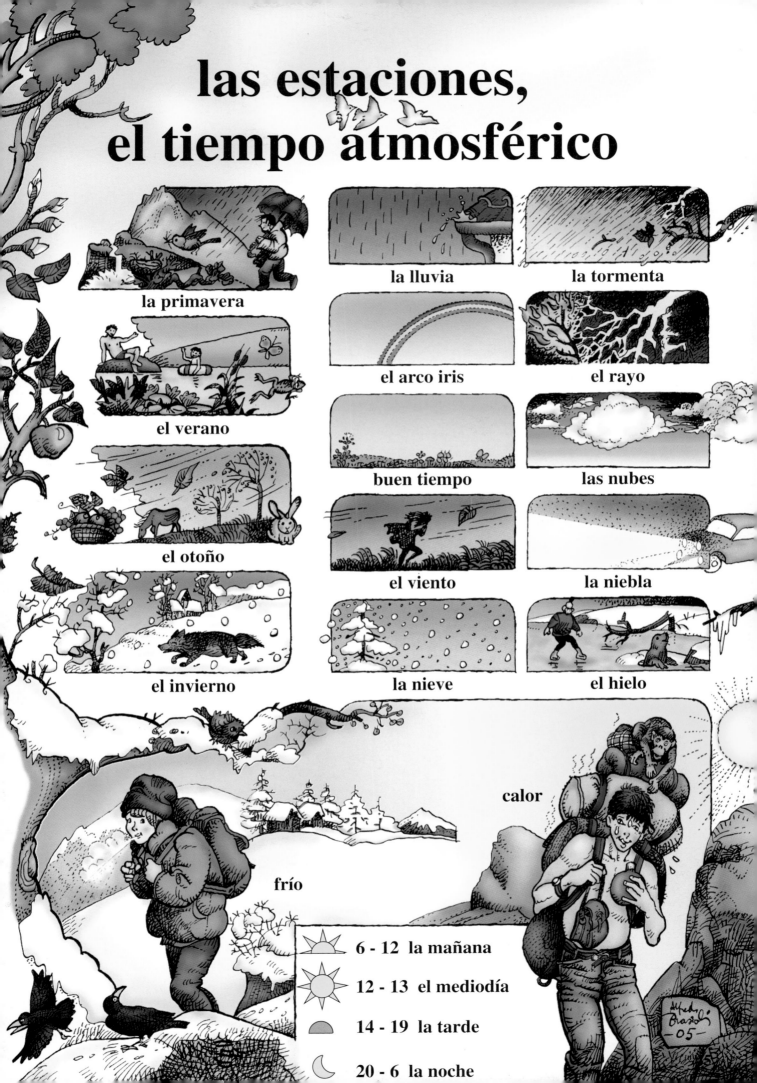

la primavera

el verano

el otoño

el invierno

la lluvia

la tormenta

el arco iris

el rayo

buen tiempo

las nubes

el viento

la niebla

la nieve

el hielo

calor

frío

6 - 12 la mañana

12 - 13 el mediodía

14 - 19 la tarde

20 - 6 la noche

las montañas

el glaciar

la colina

el valle

el tubo de ensayo

el torrente

el bosque

la cascada

lago

el arroyo

las rocas

el saco

Contaminación

la lluvia ácida

la chimenea

el vertedero de basuras

el abono

el tractor

47

El mar y ...

la isla

el faro

el barco

el mar

el escollo

el delfín

el puerto

la ola

la sombrilla

el barco de vela

el bote neumático

la toalla

la bolsa de playa

el salvavidas

el pez

la gaviota

la pelota

la tumbona

las conchas

... la montaña

la ardilla

el bosque

la montaña

el pájaro

la cascada

la piña

el lago

el refugio

la mochila

el arroyo

el alpinista

la piqueta

la cuerda

la roca

las botas
de montaña

los
prismáticos

el sendero

el puente

el zorro

la máquina
fotográfica

49

El campamento d

la tienda de campaña

el saco de dormir

la mesa plegable

el hornillo

el bidón

la mochila

la hamaca

la cantimplora

la ardilla

la linterna

la lámpara de gas

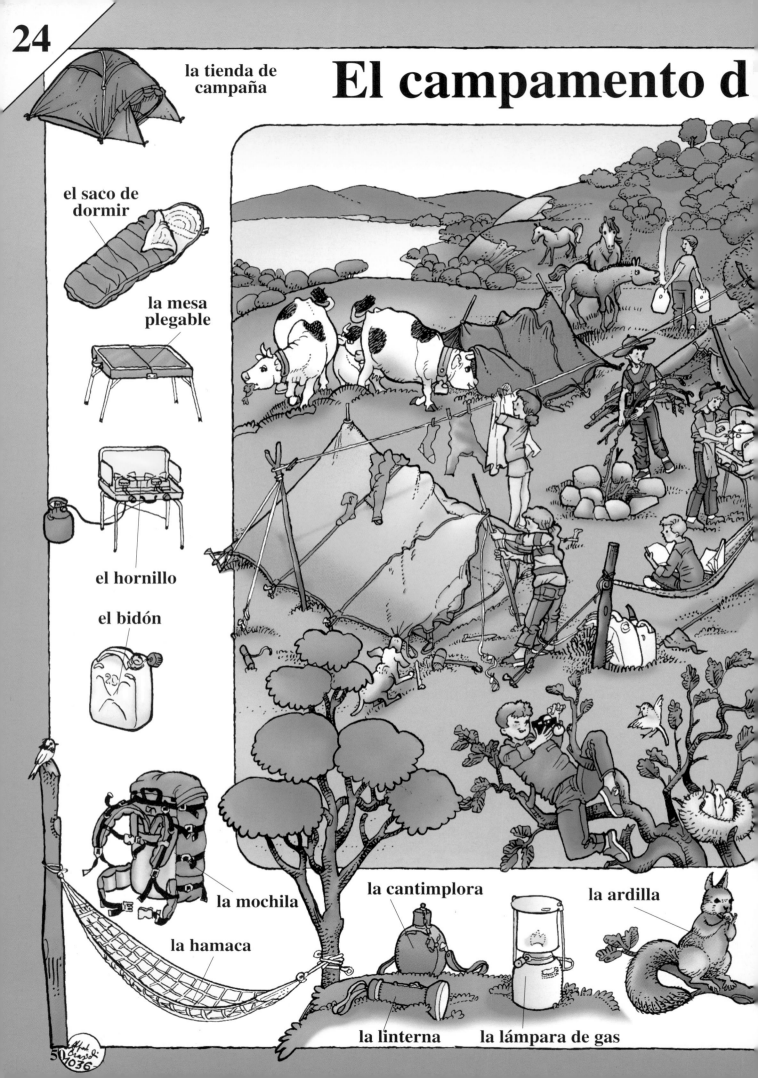

ía y de noche

el bosque

el árbol

la vaca

el arroyo

el caballo

el cercado

el búho

el murciélago

la luciérnaga

Los animales de la granja

el cerdo

el lechón

la abeja

la colmena

el caballo

el potrillo

la oveja

el cordero

el gallo

el pato

la gallina

el pollito

el galli

el ratón

la cigüeña

el nido

la paloma

la golondrina

el campo

el silo

el granero

el espantapájaros

l nido artificial

el burro

el ternero

la vaca

el buey

la cuadra

el pavo

el toro

el ganso

el gato

el conejo

el perro

la cabra

el cachorro

el gatito

la hormiga

En el zoo

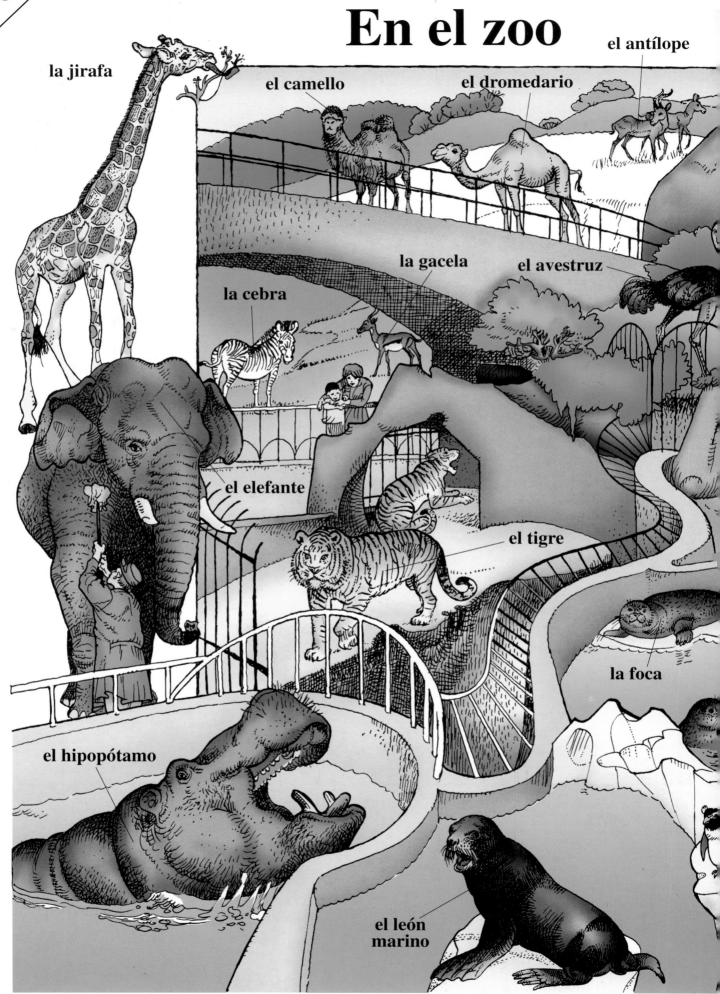

la jirafa

el antílope

el camello

el dromedario

la gacela

el avestruz

la cebra

el elefante

el tigre

la foca

el hipopótamo

el león marino

la cabra montés

el águila

el león

el mono

el oso pardo

el rinoceronte

el oso polar

la pantera

el leopardo

el cocodrilo

la serpiente

el gorila

el búfalo

los visitantes

el pingüino

el oso panda

En el bosque

el ciervo

la piña

la golondrina

la liebre

el conejo

la violeta

el ciclamino

el cuervo

la bellota

la víbora

el zorro

el champiñón

el bosque

el arbusto

la ardilla

el árbol

el prad

la mariposa

el caracol

la avellana

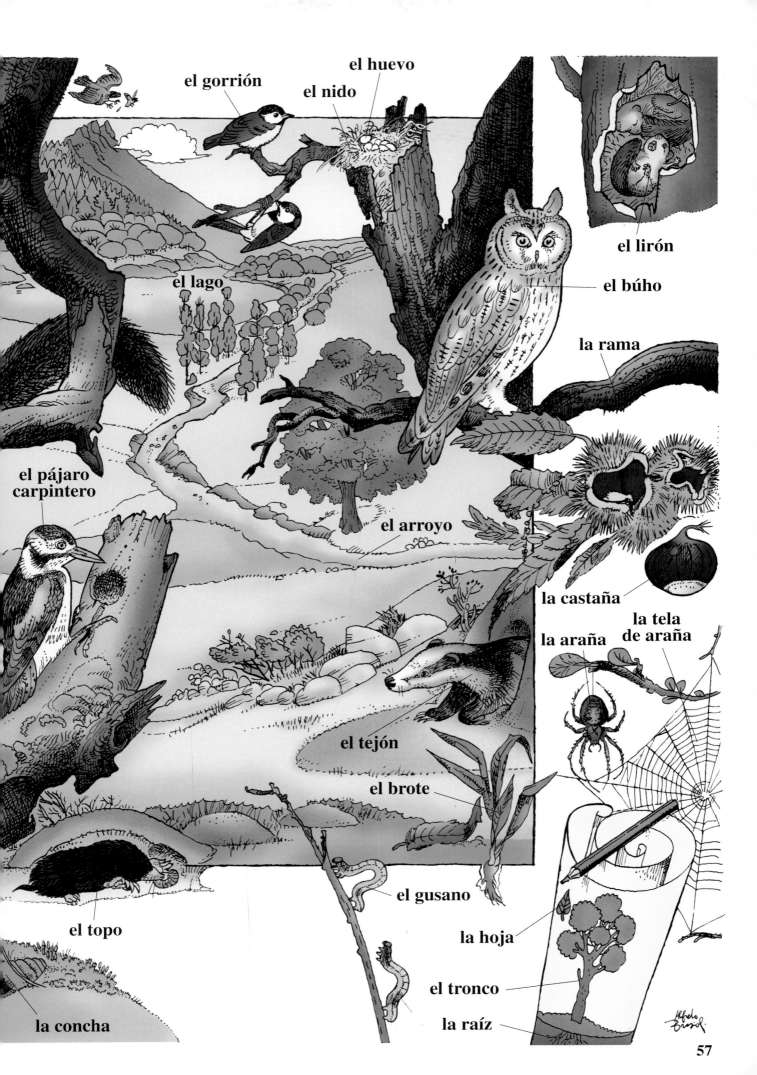

el huevo

el gorrión

el nido

el lirón

el búho

la rama

el lago

el pájaro carpintero

el arroyo

la castaña

la tela de araña

la araña

el tejón

el brote

el gusano

la hoja

el topo

el tronco

la raíz

la concha

La vida en el mar

el barco de vela

la boya luminosa

el escollo

el coral

las algas

la tobera

la máscara

el mar

el cinturón lastrado

la linterna

la aleta

el cangrej

la bomba de oxígeno

la concha

el caballito de mar

la medusa

la tortuga

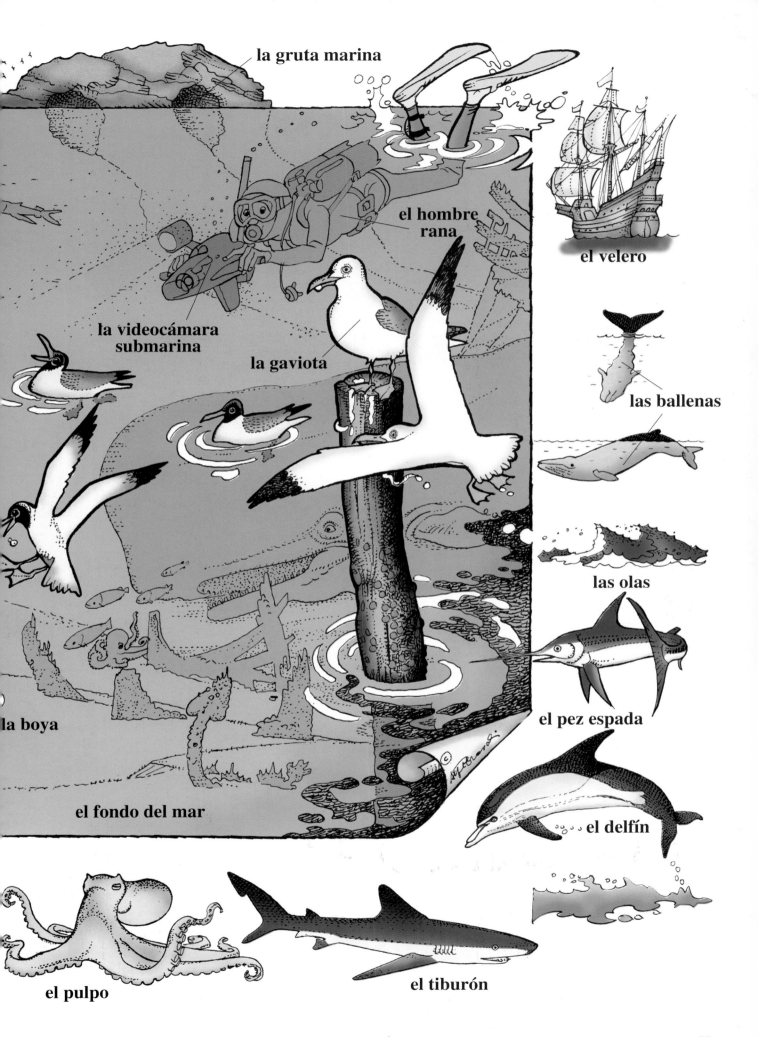

la gruta marina

el hombre rana

la videocámara submarina

la gaviota

el velero

las ballenas

las olas

el pez espada

la boya

el fondo del mar

el delfín

el pulpo

el tiburón

59

La fiesta

los platillos

el batería

el sintetizador

las teclas

la batería

el bombo

el micrófono

el foco

la cantante

la caja acústica

el clarinete

los músicos

la guitarra eléctrica

el guitarrista

eclado

las cuerdas

la partitura

el bajo

la música

las notas musicales

61

En el teatro

el decorado

el telón

los bastidores

el camerino

los trajes

la orquesta

los músicos

el director de orquesta

los palcos

el paraíso

el espectador

el sitio de la orquesta

la platea

la salida de seguridad

el programa

el foco

el cuerpo de baile

el bailarín

la bailarina

los prismáticos

el escenario

la butaca

63

El estudio de televisión

la jirafa

el micrófono

el operad[or]

la cámara de televisió[n]

la presentadora

el cable

los anuncios

la cabina de dirección

el tablero de control

el asistente de dirección

el director

cascos

la tecla

el mando

la palanca

el ...mental

la película

el telediario

las previsiones del tiempo

el programa deportivo

Los números,

1	**2**	**3**	**4**	**5**
uno	dos	tres	cuatro	cinco
6	**7**	**8**	**9**	**10**
seis	siete	ocho	nueve	diez
11	**12**	**13**	**14**	**15**
once	doce	trece	catorce	quince
16	**17**	**18**	**19**	**20**
dieciséis	diecisiete	dieciocho	diecinueve	veinte

100	cien
1.000	mil
10.000	diez mil
100.000	1.000.000
cien mil	un millón

1.000.000.000
mil millones

primero segundo
tercero
cuarto
quinto
sexto octavo noveno
séptimo décimo

los colores,

negro

celeste

blanco

rojo

azul

violeta

gris

rosa

verde

marrón

naranja

amarillo

plateado

dorado

... las formas

el cuadrado

el círculo

el triángulo   el rectángulo   el rombo

la elipse

el cubo

la esfera

el cilindro

el cono

Los adjetivos

gordo

delgado

lento

veloz

feliz

triste

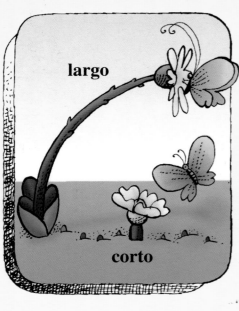

largo

corto

iguales

diferentes

frío

caliente

grande

pequeño

sucio

limpio

cerrada

abierta

fácil

difícil

blando

duro

mojado

seco

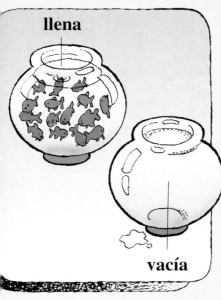

llena

vacía

vieja

nueva

bueno

malo

guapo

feo

primero

último

pocos

muchos

Los verbos

despertarse

peinarse

viajar

levantarse

vestirse

entrar

lavarse

salir

estudiar

caer

correr

vender

romper

reír

llorar

dar

recibir

ayudar

comer

empujar

tirar

hablar

escribir

saltar

pensar

leer

arreglar

escalar

dibujar

cocinar

cortar

beber

conducir   caminar   cerrar

comprar

pagar

tocar

cantar

escuchar

mirar

esperar

jugar

buscar

bailar

ir

venir

abrir

desnudarse

ver la televisión

acostarse

dormir

soñar

Vocabulario